Das Buch

»Die Zeit geht mit der Zeit. ~~Sie mögen zählen was~~ man sechs Gedichte,/ist schon ein halbes Jahr herum / und fühlt sich als Geschichte.« Anfang der fünfziger Jahre erhielt Erich Kästner von einer Zeitschrift den Auftrag, einmal im Monat ein Naturgedicht zu schreiben. Ergebnis dieser Arbeit sind diese dreizehn Gedichte »eines Großstädters für Großstädter«, Gedichte, in denen Kästner mit viel Witz und Poesie die Natur lebendig werden und den ewigen Kreislauf der Jahreszeiten sichtbar werden läßt.

Der Autor

Erich Kästner, geboren am 23. Februar 1899 in Dresden, studierte nach dem Ersten Weltkrieg Germanistik, Geschichte und Philosophie. 1925 Promotion. Bereits während der Studienzeit literarische Veröffentlichungen und erste Zeitungsartikel. Anstellung bei der ›Neuen Leipziger Zeitung‹. 1927 Übersiedelung nach Berlin. Neben schriftstellerischer Tätigkeit Theaterkritiker und freier Mitarbeiter bei verschiedenen Zeitungen. Während der Nazizeit Publikationsverbot. Von 1945 bis zu seinem Tode lebte Kästner in München und war dort u. a. Feuilletonchef der ›Neuen Zeitung‹ und Mitarbeiter der Kabarett-Ensembles ›Die Schaubude‹ und ›Die kleine Freiheit‹. Er starb am 29. Juli 1974.

Erich Kästner:
Die dreizehn Monate

Mit dreizehn Graphiken von Celestino Piatti

Deutscher
Taschenbuch
Verlag

Ungekürzte Ausgabe
Nach dem Text der ›Gesammelten Schriften‹
(Atrium Verlag, Zürich 1959) unter Hinzuziehung
der Erstausgabe von 1955
Dezember 1988
3. Auflage März 1991
Deutscher Taschenbuch Verlag GmbH & Co. KG,
München
© 1955 Atrium Verlag, Zürich
ISBN 3-85535-918-0
Umschlaggestaltung: Celestino Piatti
Gesamtherstellung: C. H. Beck'sche Buchdruckerei,
Nördlingen
Printed in Germany · ISBN 3-423-11014-7

VORWORT

Die hier gesammelten Gedichte schrieb, im Lauf eines Jahres, ein Großstädter für Großstädter. Links von Block und Bleistift lag der fünfte Band des Kleinen Brehm, ›Die deutsche Tierwelt‹. Zur Rechten lagen ›Unsere Pflanzenwelt‹ und ein Leitfaden, der, fragwürdig genug, ›Die deutsche Schulflora‹ hieß. Die Bücher mußten zur Hand sein. Eine Zeitschrift hatte die Gedichte bestellt. Illustriert werden sollten sie außerdem. So blieb dem Autor nichts übrig, als dem Kalender vorzugreifen. Den Januar mußte er schon im November besingen, und den Mai im März. Zwölf Monate lang war er dem Jahr um sechs Wochen voraus. Er konnte nicht »nach der Natur« arbeiten, sondern nur »aus dem Gedächtnis«, und darauf war, wie er bald merkte, kein Verlaß.

Er schämte sich. War denn nicht die Prozession der Monate, froh und bunt und düster, mehr als fünfzigmal an ihm vorübergezogen? An den Augen vorbei und, oft genug und feierlich, durchs ganze Gemüt? Nun sollte er nichts tun als die Vergangenheit prophezeien, und er konnte es nicht. Die Erinnerungen verschwammen wie in einem billigen Spiegel. Aber es lag nicht am Spiegel. Es lag an den Erinnerungen. Es lag an den großen Städten. Sie hatten Strauch und Baum und Wiese aus den Mauern gejagt. Hinaus zu den Friedhöfen und Zoologischen Gärten ...

Die Brauereipferde werden von den Kindern angestaunt wie galvanisierte Saurier. Sitzt ein Vogel irgendwo, ist's ein entflogener Wellensittich. Der Balkon blieb ein rührender, fünf Quadratmeter großer Versuch. Ein Versuch, etwas Himmel überm Kopf zu haben. Doch was hat man überm Kopf? Einen Balkon. Was hat man, außer dem Geranientopf, vor Augen? Fenster, Drähte, Mauern und, im besten Falle, Geranientöpfe und Balkons. Die Natur kann sonntags vor der Stadt besichtigt werden, samt dem Friedhof und dem Zoo. Sie wurde ein Museum ohne Dach. Es fehlt nur noch, daß man dem Hahnenfuß, der Esche und dem Hänfling kleine Nummernschilder umhängt. (Den einschlägigen Katalog könnten invalide Kriegsteilnehmer am Hauptportal verkaufen.) Das Gänseblümchen wurde zur »Victoria regia« degradiert. Die Jahreszeiten finden in der Markthalle statt. In den Blumenläden und auf den Gemüsekarren. Und, zum Frühstück, als Wetterbericht.

Sollten die Philosophen recht haben? Verläuft unser Weg, der Weg quer durch die Zeit, im Spannungsfelde der zwei Großmächte Natur und Geschichte? Dann hat der Großstädter den Weg des Menschen längst verlassen. Dann ist er der jüngere Bruder des geschichtslosen Zweibeiners auf dem Atoll in der Südsee. Dann ist er der naturlose, der denaturierte Wilde. Dann ist er ein motorisiertes Eisenfeilspänchen, das, blind und in beiderlei Wortverstande »rasend«, dem Magnetberg der Geschichte entgegenjagt.

Die hier gesammelten Gedichte schrieb ein Großstädter für Großstädter. Er versuchte sich zu besinnen. Denn man kann die Besinnung verlieren, aber man muß sie wiederfinden. Man müßte wieder spüren: Die Zeit vergeht, und sie dauert, und beides geschieht im gleichen Atemzug. Der Flieder verwelkt, um zu blühen. Und er blüht, weil er welken wird. Der Sinn der Jahreszeiten übertrifft den Sinn der Jahrhunderte.

Die zweite Austreibung aus dem Paradies hat stattgefunden. Und Adam und Eva haben es diesmal nicht bemerkt. Sie leben auf der Erde, als lebten sie darunter. Ausflüge sind keine Auswege. Schußfahrten sind Ausflüchte. Was, nun gar, könnten ein paar Verse vermögen? Sie wurden trotzdem notiert. Es hatte, wieder einmal und wie so oft, das letzte Wort – das kleine Wort Trotzdem.

Der Januar

DER JANUAR

Das Jahr ist klein und liegt noch in der Wiege.
Der Weihnachtsmann ging heim in seinen Wald.
Doch riecht es noch nach Krapfen auf der Stiege.
Das Jahr ist klein und liegt noch in der Wiege.
Man steht am Fenster und wird langsam alt.

Die Amseln frieren. Und die Krähen darben.
Und auch der Mensch hat seine liebe Not.
Die leeren Felder sehnen sich nach Garben.
Die Welt ist schwarz und weiß und ohne Farben.
Und wär so gerne gelb und blau und rot.

Umringt von Kindern wie der Rattenfänger,
tanzt auf dem Eise stolz der Januar.
Der Bussard zieht die Kreise eng und enger.
Es heißt, die Tage würden wieder länger.
Man merkt es nicht. Und es ist trotzdem wahr.

Die Wolken bringen Schnee aus fremden Ländern.
Und niemand hält sie auf und fordert Zoll.
Silvester hörte man's auf allen Sendern,
daß sich auch *unterm* Himmel manches ändern
und, außer uns, viel besser werden soll.

Das Jahr ist klein und liegt noch in der Wiege.
Und ist doch hunderttausend Jahre alt.
Es träumt von Frieden. Oder träumt's vom Kriege?
Das Jahr ist klein und liegt noch in der Wiege.
Und stirbt in einem Jahr. Und das ist bald.

Der Februar

DER FEBRUAR

Nordwind bläst. Und Südwind weht.
Und es schneit. Und taut. Und schneit.
Und indes die Zeit vergeht,
bleibt ja doch nur eins: die Zeit.

Pünktlich holt sie aus der Truhe
falschen Bart und goldnen Kram.
Pünktlich sperrt sie in die Truhe
Sorgenkleid und falsche Scham.

In Brokat und seidnen Resten,
eine Maske vorm Gesicht,
Kommt sie dann zu unsren Festen.
Wir erkennen sie nur nicht.

Bei Trompeten und Gitarren
drehn wir uns im Labyrinth
und sind aufgeputzt wie Narren,
um zu scheinen, was wir sind.

Unsre Orden sind Attrappe.
Bunter Schnee ist aus Papier.
Unsre Nasen sind aus Pappe.
Und aus welchem Stoff sind wir?

Bleich, als sähe er Gespenster,
mustert uns Prinz Karneval.
Aschermittwoch starrt durchs Fenster.
Und die Zeit verläßt den Saal.

Pünktlich legt sie in die Truhe
Das Vorüber und Vorbei.
Pünktlich holt sie aus der Truhe
Sorgenkleid und Einerlei.

Nordwind bläst. Und Südwind weht.
Und es schneit. Und taut. Und schneit.
Und indes die Zeit vergeht,
bleibt uns doch nur eins: die Zeit.

Der März

DER MÄRZ

Sonne lag krank im Bett.
Sitzt nun am Ofen.
Liest, was gewesen ist.
Liest Katastrophen.

Springflut und Havarie,
Sturm und Lawinen, –
gibt es denn niemals Ruh
drunten bei ihnen?

Schaut den Kalender an.
Steht drauf: »Es werde!«
Greift nach dem Opernglas.
Blickt auf die Erde.

Schnee vom vergangenen Jahr
blieb nicht der gleiche.
Liegt wie ein Bettbezug
klein auf der Bleiche.

Winter macht Inventur.
Will sich verändern.
Schrieb auf ein Angebot
aus andern Ländern.

Mustert im Fortgehn noch
Weiden und Erlen.
Kätzchen blühn silbergrau.
Schimmern wie Perlen.

In Baum und Krume regt
sich's allenthalben.
Radio meldet schon
Störche und Schwalben.

Schneeglöckchen ahnen nun,
was sie bedeuten.
Wenn du die Augen schließt,
hörst du sie läuten.

Der April

DER APRIL

Der Regen klimpert mit einem Finger
die grüne Ostermelodie.
Das Jahr wird älter und täglich jünger.
O Widerspruch voll Harmonie!

Der Mond in seiner goldenen Jacke
versteckt sich hinter dem Wolken-Store.
Der Ärmste hat links eine dicke Backe
und kommt sich ein bißchen lächerlich vor.
Auch diesmal ist es dem März geglückt:
Er hat ihn in den April geschickt.

Und schon hoppeln die Hasen,
mit Pinseln und Tuben
und schnuppernden Nasen,
aus Höhlen und Gruben
durch Gärten und Straßen
und über den Rasen
in Ställe und Stuben.

Dort legen sie Eier, als ob's gar nichts wäre,
aus Nougat, Krokant und Marzipan.
Der Tapferste legt eine Bonbonniere.
Er blickt dabei entschlossen ins Leere.
Bonbonnieren sind leichter gesagt als getan.

Dann geht es ans Malen. Das dauert Stunden.
Dann werden noch seidene Schleifen gebunden.
Und Verstecke gesucht. Und Verstecke gefunden:
Hinterm Ofen, unterm Sofa,
in der Wanduhr, auf dem Gang,
hinterm Schuppen, unterm Birnbaum,
in der Standuhr, auf dem Schrank.

Da kräht der Hahn den Morgen an!
Schwupp, sind die Hasen verschwunden.
Ein Giebelfenster erglänzt im Gemäuer.
Am Gartentor lehnt und gähnt ein Mann.
Über die Hänge läuft grünes Feuer
die Büsche entlang und die Pappeln hinan.
Der Frühling, denkt er, kommt also auch heuer.
Er spürt nicht Wunder, noch Abenteuer,
weil er sich nicht mehr wundern kann.

Liegt dort nicht ein kleiner Pinsel im Grase?
Auch das kommt dem Manne nicht seltsam vor.
Er merkt gar nicht, daß ihn ein Osterhase
auf dem Heimweg verlor.

Der Mai

DER MAI

Im Galarock des heiteren Verschwenders,
ein Blumenzepter in der schmalen Hand,
fährt nun der Mai, der Mozart des Kalenders,
aus seiner Kutsche grüßend, über Land.

Es überblüht sich, er braucht nur zu winken.
Er winkt! Und rollt durch einen Farbenhain.
Blaumeisen flattern ihm voraus und Finken.
Und Pfauenaugen flügeln hinterdrein.

Die Apfelbäume hinterm Zaun erröten.
Die Birken machen einen grünen Knicks.
Die Drosseln spielen, auf ganz kleinen Flöten,
das Scherzo aus der Symphonie des Glücks.

Die Kutsche rollt durch atmende Pastelle.
Wir ziehn den Hut. Die Kutsche rollt vorbei.
Die Zeit versinkt in einer Fliederwelle.
O, gäb es doch ein Jahr aus lauter Mai!

Melancholie und Freude sind wohl Schwestern.
Und aus den Zweigen fällt verblühter Schnee.
Mit jedem Pulsschlag wird aus Heute Gestern.
Auch Glück kann weh tun. Auch der Mai tut weh.

Er nickt uns zu und ruft: »Ich komm ja wieder!«
Aus Himmelblau wird langsam Abendgold.
Er grüßt die Hügel, und er winkt dem Flieder.
Er lächelt. Lächelt. Und die Kutsche rollt.

Der Juni

DER JUNI

Die Zeit geht mit der Zeit: Sie fliegt.
Kaum schrieb man sechs Gedichte,
ist schon ein halbes Jahr herum
und fühlt sich als Geschichte.

Die Kirschen werden reif und rot,
die süßen wie die sauern.
Auf zartes Laub fällt Staub, fällt Staub,
so sehr wir es bedauern.

Aus Gras wird Heu. Aus Obst Kompott.
Aus Herrlichkeit wird Nahrung.
Aus manchem, was das Herz erfuhr,
wird, bestenfalls, Erfahrung.

Es wird und war. Es war und wird.
Aus Kälbern werden Rinder
und, weil's zur Jahreszeit gehört,
aus Küssen kleine Kinder.

Die Vögel füttern ihre Brut
und singen nur noch selten.
So ist's bestellt in unsrer Welt,
der besten aller Welten.

Spät tritt der Abend in den Park,
mit Sternen auf der Weste.
Glühwürmchen ziehn mit Lampions
zu einem Gartenfeste.

Dort wird getrunken und gelacht.
In vorgerückter Stunde
tanzt dann der Abend mit der Nacht
die kurze Ehrenrunde.

Am letzten Tische streiten sich
ein Heide und ein Frommer,
ob's Wunder oder keine gibt.
Und nächstens wird es Sommer.

Der Juli

DER JULI

Still ruht die Stadt. Es wogt die Flur.
Die Menschheit geht auf Reisen
oder wandert sehr oder wandelt nur.
Und die Bauern vermieten die Natur
zu sehenswerten Preisen.

Sie vermieten den Himmel, den Sand am Meer,
die Platzmusik der Ortsfeuerwehr
und den Blick auf die Kuh auf der Wiese.
Limousinen rasen hin und her
und finden und finden den Weg nicht mehr
zum Verlorenen Paradiese.

Im Feld wächst Brot. Und es wachsen dort
auch die künftigen Brötchen und Brezeln.
Eidechsen zucken von Ort zu Ort.
Und die Wolken führen Regen an Bord
und den spitzen Blitz und das Donnerwort.
Der Mensch treibt Berg- und Wassersport
und hält nicht viel von Rätseln.

Er hält die Welt für ein Bilderbuch
mit Ansichtskartenserien.
Die Landschaft belächelt den lauten Besuch.
Sie weiß Bescheid.
Sie weiß, die Zeit
überdauert sogar die Ferien.

Sie weiß auch: Einen Steinwurf schon
von hier beginnt das Märchen.
Verborgen im Korn, auf zerdrücktem Mohn,
ruht ein zerzaustes Pärchen.
Hier steigt kein Preis, hier sinkt kein Lohn.
Hier steigen und sinken die Lerchen.

Das Mädchen schläft entzückten Gesichts.
Die Bienen summen zufrieden.
Der Jüngling heißt, immer noch, Taugenichts.
Er tritt durch das Gitter des Schattens und Lichts
in den Wald und zieht, durch den Schluß
    des Gedichts,
wie in alten Zeiten gen Süden.

Der August

DER AUGUST

Nun hebt das Jahr die Sense hoch
und mäht die Sommertage wie ein Bauer.
Wer sät, muß mähen.
Und wer mäht, muß säen.
Nichts bleibt, mein Herz. Und alles ist von Dauer.

Stockrosen stehen hinterm Zaun
in ihren alten, brüchigseidnen Trachten.
Die Sonnenblumen, üppig, blond und braun,
mit Schleiern vorm Gesicht, schaun aus wie Frau'n,
die eine Reise in die Hauptstadt machten.

Wann reisten sie? Bei Tage kaum.
Stets leuchteten sie golden am Stakete.
Wann reisten sie? Vielleicht im Traum?
Nachts, als der Duft vom Lindenbaum
an ihnen abschiedssüß vorüberwehte?

In Büchern liest man groß und breit,
selbst das Unendliche sei nicht unendlich.
Man dreht und wendet Raum und Zeit.
Man ist gescheiter als gescheit, –
das Unverständliche bleibt unverständlich.

Ein Erntewagen schwankt durchs Feld.
Im Garten riecht's nach Minze und Kamille.
Man sieht die Hitze. Und man hört die Stille.
Wie klein ist heut die ganze Welt!
Wie groß und grenzenlos ist die Idylle ...

Nichts bleibt, mein Herz. Bald sagt der Tag
    Gutnacht.
Sternschnuppen fallen dann, silbern und sacht,
ins Irgendwo, wie Tränen ohne Trauer.
Dann wünsche deinen Wunsch, doch gib gut acht!
Nichts bleibt, mein Herz. Und alles ist von Dauer.

Der September

DER SEPTEMBER

Das ist ein Abschied mit Standarten
aus Pflaumenblau und Apfelgrün.
Goldlack und Astern flaggt der Garten,
und tausend Königskerzen glühn.

Das ist ein Abschied mit Posaunen,
mit Erntedank und Bauernball.
Kuhglockenläutend ziehn die braunen
und bunten Herden in den Stall.

Das ist ein Abschied mit Gerüchen
aus einer fast vergessenen Welt.
Mus und Gelee kocht in den Küchen.
Kartoffelfeuer qualmt im Feld.

Das ist ein Abschied mit Getümmel,
mit Huhn am Spieß und Bier im Krug.
Luftschaukeln möchten in den Himmel.
Doch sind sie wohl nicht fromm genug.

Die Stare gehen auf die Reise.
Altweibersommer weht im Wind.
Das ist ein Abschied laut und leise.
Die Karussells drehn sich im Kreise.
Und was vorüber schien, beginnt.

Der Oktober

DER OKTOBER

Fröstelnd geht die Zeit spazieren.
Was vorüber schien, beginnt.
Chrysanthemen blühn und frieren.
Fröstelnd geht die Zeit spazieren.
Und du folgst ihr wie ein Kind.

Geh nur weiter. Bleib nicht stehen.
Kehr nicht um, als sei's zuviel.
Bis ans Ende mußt du gehen.
Hadre nicht mit den Alleen.
Ist der Weg denn schuld am Ziel?

Geh nicht wie mit fremden Füßen,
und als hätt'st du dich verirrt.
Willst du nicht die Rosen grüßen?
Laß den Herbst nicht dafür büßen,
daß es Winter werden wird.

An den Wegen, in den Wiesen
leuchten, wie auf grünen Fliesen,
Bäume bunt und blumenschön.
Sind's Buketts für sanfte Riesen?
Geh nur weiter. Bleib nicht stehn.

Blätter tanzen sterbensheiter
ihre letzten Menuetts.
Folge folgsam dem Begleiter.
Bleib nicht stehen. Geh nur weiter.
Denn das Jahr ist dein Gesetz.

Nebel zaubern in der Lichtung
eine Welt des Ungefährs.
Raum wird Traum. Und Rauch wird Dichtung.
Folg der Zeit. Sie weiß die Richtung.
»Stirb und werde!« nannte er's ...

Der November

DER NOVEMBER

Ach, dieser Monat trägt den Trauerflor...
Der Sturm ritt johlend durch das Land der Farben.
Die Wälder weinten. Und die Farben starben.
Nun sind die Tage grau wie nie zuvor.
Und der November trägt den Trauerflor.

Der Friedhof öffnete sein dunkles Tor.
Die letzten Kränze werden feilgeboten.
Die Lebenden besuchen ihre Toten.
In der Kapelle klagt ein Männerchor.
Und der November trägt den Trauerflor.

Was man besaß, weiß man, wenn man's verlor.
Der Winter sitzt schon auf den kahlen Zweigen.
Es regnet, Freunde, und der Rest ist Schweigen.
Wer noch nicht starb, dem steht es noch bevor.
Und der November trägt den Trauerflor...

Der Dezember

DER DEZEMBER

Das Jahr ward alt. Hat dünne Haar.
Ist gar nicht sehr gesund.
Kennt seinen letzten Tag, das Jahr.
Kennt gar die letzte Stund.

Ist viel geschehn. Ward viel versäumt.
Ruht beides unterm Schnee.
Weiß liegt die Welt, wie hingeträumt.
Und Wehmut tut halt weh.

Noch wächst der Mond. Noch schmilzt er hin.
Nichts bleibt. Und nichts vergeht.
Ist alles Wahn. Hat alles Sinn.
Nützt nichts, daß man's versteht.

Und wieder stapft der Nikolaus
durch jeden Kindertraum.
Und wieder blüht in jedem Haus
der goldengrüne Baum.

Warst auch ein Kind. Hast selbst gefühlt,
wie hold Christbäume blühn.
Hast nun den Weihnachtsmann gespielt
und glaubst nicht mehr an ihn.

Bald trifft das Jahr der zwölfte Schlag.
Dann dröhnt das Erz und spricht:
»Das Jahr kennt seinen letzten Tag,
und du kennst deinen nicht.«

Der dreizehnte Monat

DER DREIZEHNTE MONAT

Wie säh er aus, wenn er sich wünschen ließe?
Schaltmonat wär? Vielleicht Elfember hieße?
Wem zwölf genügen, dem ist nicht zu helfen.
Wie säh er aus, der dreizehnte von zwölfen?

Der Frühling müßte blühn in holden Dolden.
Jasmin und Rosen hätten Sommerfest.
Und Äpfel hingen, mürb und rot und golden,
im Herbstgeäst.

Die Tannen träten unter weißbeschneiten
Kroatenmützen aus dem Birkenhain
und kauften auf dem Markt der Jahreszeiten
Maiglöckchen ein.

Adam und Eva lägen in der Wiese.
Und liebten sich in ihrem Veilchenbett,
als ob sie niemand aus dem Paradiese
vertrieben hätt.

Das Korn wär gelb. Und blau wären die Trauben.
Wir träumten, und die Erde wär der Traum.
Dreizehnter Monat, laß uns an dich glauben!
Die Zeit hat Raum!

Verzeih, daß wir so kühn sind, dich zu schildern.
Der Schleier weht. Dein Antlitz bleibt verhüllt.
Man macht, wir wissen's, aus zwölf alten Bildern
kein neues Bild.

Drum schaff dich selbst! Aus unerhörten Tönen!
Aus Farben, die kein Regenbogen zeigt!
Plündre den Schatz des ungeschehen Schönen!
Du schweigst? Er schweigt.

Es tickt die Zeit. Das Jahr dreht sich im Kreise.
Und werden kann nur, was schon immer war.
Geduld, mein Herz. Im Kreise geht die Reise.
Und dem Dezember folgt der Januar.